Mainé, Margarita

¿Jugamos? / Margarita Mainé ; ilustrado por Marcela Lescarboura - 1ª ed. - Buenos Aires: Unaluna, 2011.

28 p. : il. ; 22,5 x 22,5 cm.

ISBN: 978-987-1296-91-0

1. Literatura infantil Argentina. I. Lescarboura, Marcela, ilus. II. Título

CDD A863.928 2

Texto: Margarita Mainé

Ilustraciones: Marcela Lescarboura

Diseño: Mariana Salemme

ISBN: 978-987-1296-91-0

Distribuidores exclusivos: Editorial Heliasta S.R.L.
Juncal 3451 (C1425AYT) Buenos Aires, Argentina
Teléfono - Fax: (54-11) 4804-0472 / 0119 / 8757 / 0215
editorial@unaluna.com.ar / www.unaluna.com.ar

Queda hecho el depósito que establece la Ley 11.723.
Libro de edición argentina.
Impreso en Printing Books, Mario Bravo 835, Avellaneda, Pcia. de Buenos Aires,
en el mes de marzo de 2011.

¿Jugamos?

Texto: Margarita Mainé

Ilustraciones: Marcela Lescarboura

—Voy a dormir al bebé —dice la mamá de Lucas.

—Es hora de mi siesta —avisa el papá de Matías, que trabaja de noche.

—¿Jugamos? —susurra Lucas.
—*¡Dale!* —dice Matías contento.

—¿Dale que era un chico lobo
y tenía garras?

—*¡Dale!*

—¿Dale que yo tiraba pejosidad con las manos?

—¿Dale que me escapaba subiendo al techo de un tren?

—*¡Dale!*

—¿Dale que yo te seguía porque
querría apatrarte?

—¿Dale que un remolino
nos hacía volar
por el aire?

—*¡Dale!*

—¿Dale que me quebraba las cosquillas y me mataba?

—¿Dale que llamaba a
la ambulancia pero
no venía y yo
te cargaba?

—*¡Dale!*

—¿Dale que no estaba
más morido y nos
hacíamos amigos?

—¿Dale que las calles
se llenaban de agua?

—*¡Dale!*

—¿Dale que nos subíamos
a un árbol porque
todo estaba
inundido?

—¿Dale que las manos
se nos transformaban
en alas?

—*¡Dale!*
—¿Dale que volábamos
con los pájaros hasta
el infinito?

—¿Dale que en el infinito había
una casa con un jardín
muy grande?

—*¡Dale!*

—¿Dale que nos tomábamos la leche los dos juntados?

—¡Dale nada! —dice la mamá de Lucas.
Es hora de hacer las tareas de la escuela.

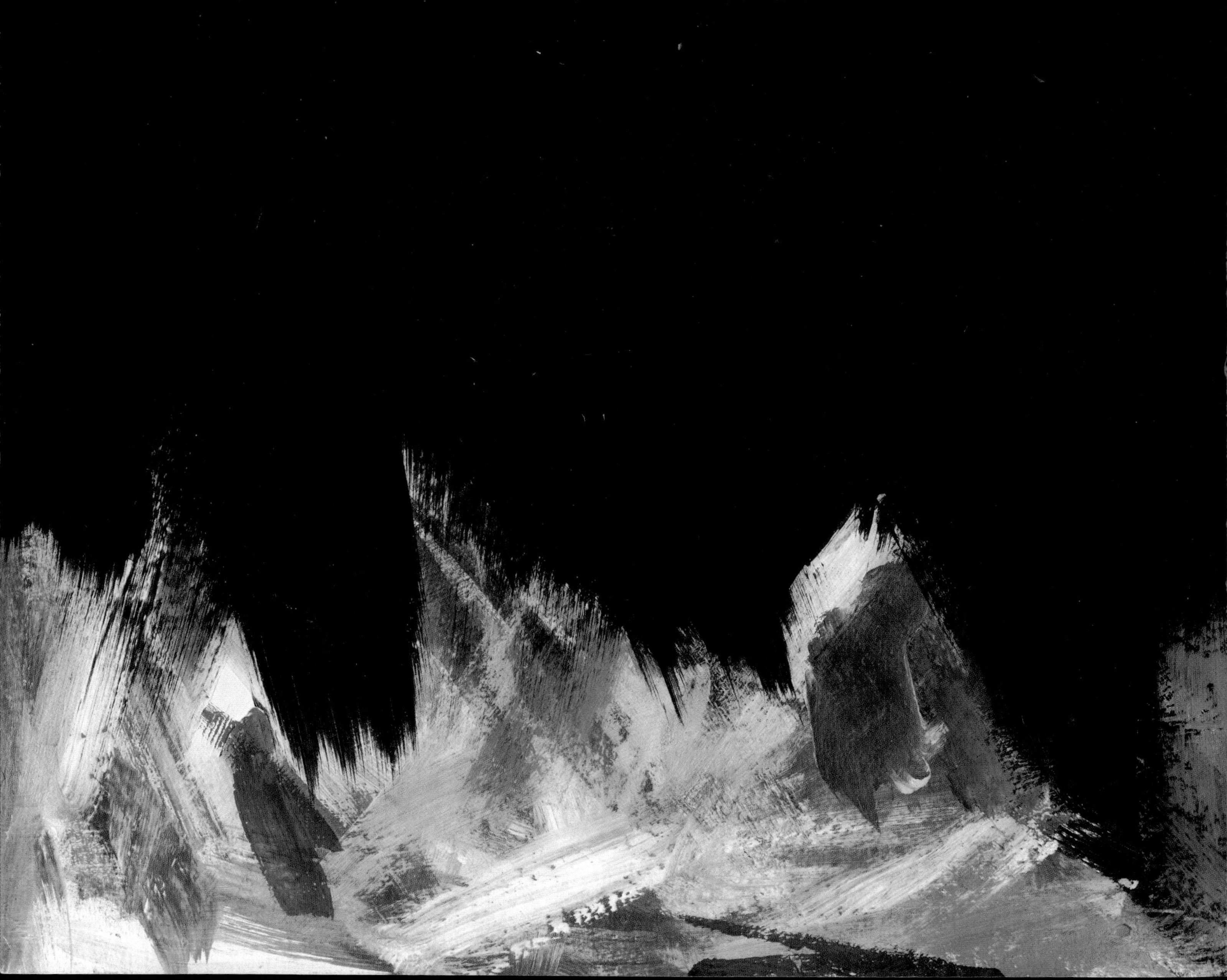

—¡A bañarse Matías! —llama el papá desde adentro.

—¿Dale que mañana seguimos jugando? —dice Lucas alejándose de la reja.

—¡Dale!

Para Yamil y Mateo,
expertos del *¡Dale que...!*

MARGARITA MAINÉ

A mis negritos, Olmo y Vito.

MARCELA LESCARBOURA